D1473435

Le chiffre neuf

neuf

Texte de Jane Belk Moncure
Adaptation française de Chrystiane Harnois
Illustrations de Linda Hohag et Dan Spoden

THE CHILD'S WORLD

MANKATO, MN 56001

Le chiffre neuf

Voici Petit **neuf**

Il vit dans la maison du neuf.

La maison du neuf a neuf pièces.

Compte-les.

Chaque jour, Petit neuf part en promenade. Un jour, il se rend au parc. Il voit

deux petits astronautes sur un banc...

et sept autres assis sous un arbre. Combien y en a-t-il en tout?

Le lendemain, Petit  les voit à nouveau. Mais ils sont tristes.

«Nous avons perdu nos vaisseaux spatiaux!» disent-ils. «Nous en avons besoin pour le défilé des jouets.»

«Je vais vous aider», dit Petit
Il fait cinq bonds sur un pied
et quatre sur l'autre pied.

Peux-tu le faire aussi?

Où trouve-t-il le premier vaisseau spatial?

Puis il trouve les deuxième, troisième, quatrième et cinquième vaisseaux spatiaux...

sous un pont.

Les cinq petits astronautes montent à bord de leur engin spatial.

«Attendez», dit Petit

«Attendez les autres astronautes!» Combien?

Petit  trouve les sixième, septième, huitième et neuvième vaisseaux spatiaux dans un carré de sable.

Les quatre astronautes sont contents.

Tous les astronautes partent ensuite à bord de leurs vaisseaux spatiaux. Compte-les.

«N'oublie pas d'assister au défilé!» crient-ils.

Petit  fait six bonds sur un pied...
et trois bonds sur l'autre pied.
Peux-tu le faire aussi?

Devine ce qu'il trouve ensuite?

Il trouve des petits soldats alignés un à côté de l'autre. Ils sont très tristes.

«Le défilé va bientôt commencer... et nous avons perdu nos neuf tambours», disent-ils.

«Je vais vous aider», dit Petit

Il trouve six tambours
sous une table de pique-nique.

Combien de tambours doit-il encore trouver?

Six petits soldats joyeux jouent du tambour.
«Taratatatam-Taratatatam.»

«Attendez!» dit Petit

«Attendez les autres soldats.»
Combien d'autres?

Petit  trouve...

deux tambours sous des feuilles mortes...

et un derrière un rocher.

Chaque soldat a-t-il maintenant un tambour?

18

En battant la cadence, les joyeux petits soldats disent, «Viens voir le défilé aujourd'hui!»

Compte les soldats.

Petit  les suit. Les neuf petits soldats traversent un pont couvert.

Combien de soldats se trouvent
à l'intérieur du pont couvert?

Combien sont à l'extérieur?

Les petits soldats se joignent au défilé qui vient tout juste de commencer.

DÉFILÉ DES JOUETS

Petit neuf salue les soldats à leur passage.

Les astronautes survolent le défilé et laissent tomber des ballons. Combien?

Petit  neuf tente d'attraper les ballons.

Il en attrape cinq.

«Je veux tous les attraper», dit-il.

Il en attrape

quatre autres.

A-t-il attrapé tous les ballons?

«Je peux voler comme les astronautes» dit-il.
Il tient les ballons très haut.

Il court au sommet d'une
colline. «Je veux voler», dit-il.
Il fait neuf bonds très haut.
Peux-tu le faire aussi?

Mais il ne vole pas. «Pouf, pouf, pouf, pouf, pouf», font quelques ballons. Combien?

Combien de ballons intacts lui reste-t-il?

Arrive alors une véritable astronaute.
«Je vais t'aider», dit-elle.

«Je t'emmène faire une promenade
à bord d'un vrai vaisseau spatial.»

«Décompte! Neuf, huit, sept, six, cinq, quatre, trois, deux, un. Décollage!»

Zoum! Les deux amis s'envolent à toute allure.

Additionnons avec Petit

$$\begin{array}{r} 2 \\ +7 \\ \hline 9 \end{array}$$

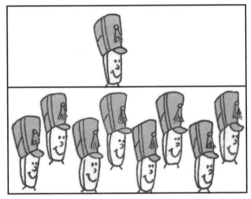

$$\begin{array}{r} 1 \\ +8 \\ \hline 9 \end{array}$$

$$\begin{array}{r} 5 \\ +4 \\ \hline 9 \end{array}$$

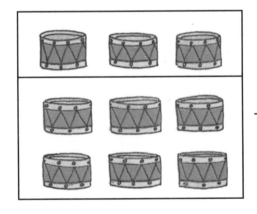

$$\begin{array}{r} 3 \\ +6 \\ \hline 9 \end{array}$$

Trouve d'autres façons d'additionner neuf choses.

Maintenant, soustrayons avec Petit

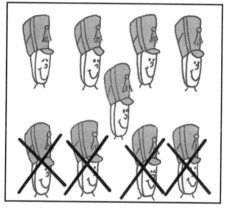

$$\begin{array}{r} 9 \\ -4 \\ \hline 5 \end{array}$$

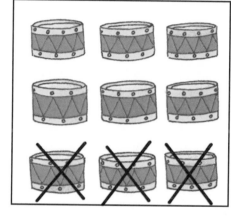

$$\begin{array}{r} 9 \\ -3 \\ \hline 6 \end{array}$$

$$\begin{array}{r} 9 \\ -5 \\ \hline 4 \end{array}$$

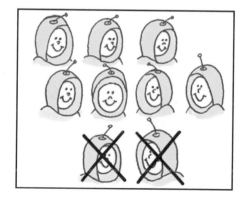

$$\begin{array}{r} 9 \\ -2 \\ \hline 7 \end{array}$$

Trouve d'autres façons de soustraire de neuf.

Petit  fait le chiffre 9 de cette façon:

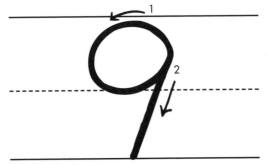

Il écrit le chiffre en lettres comme ceci:

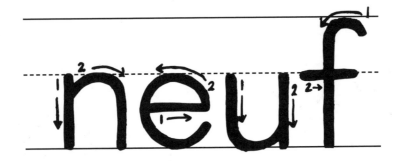

Tu peux les écrire dans l'air avec ton doigt.